D1290118

Ina und Udo

Deutsche Schulfibel

von

Rudolf Schröter

Verlag Moritz Diesterweg

Frankfurt am Main · Berlin · München

Best.-Nr. 1800

Zu dieser Fibel sind erschienen

Für den Schüler:

Arbeitsmittel zur Analyse, 4 Seiten (1833)
54 Handkarten zur Aufarbeitung des Wortschatzes
   (gelb, grün, rot) im Postkartenformat (1834)
Kasperle und die Kinder. Leseübungen zur Fibel
   (zu Seite 1 bis 64), 64 Seiten, broschiert (1830)
   in 16 Viertelbogen, gebündelt (1828)

Für den Lehrer:

50 Farbige Wortbildkarten mit umklappbarer Schriftzeile,
   Format 20 × 32 cm (1835)
Lesekiste mit 75 Einzelwortkarten, Format 20 × 8 cm (1836)
Lehrerhandbuch. 158 Seiten, zahlr. Abb. (1829)

Genehmigt für den Gebrauch in Schulen.
Genehmigungsdaten teilt der Verlag auf Anfrage mit.

ISBN 3-425-01800-0

6. Auflage 1972

Druck und Bindearbeiten: Oscar Brandstetter Druckerei KG, Wiesbaden

Inhaltsverzeichnis

Der Tageslauf der Fibelkinder

Kleine Erlebnisse zu Hause

Allerlei Besuche

Ina komm

Udo komm

Emil komm

Dora komm

komm Udo  lauf Udo lauf

komm Dora  lauf Dora lauf

komm Emil lauf Emil lauf

komm Ina lauf Ina lauf

wo ist Emil
wo ist Udo
wo ist Ina
wo ist Dora

da ist Emil
da ist Ina
da ist Udo
da ist Dora

ist Udo da

ist Dora da

ist Emil da

ist Ina da

ja Udo ist da

ja Dora ist da

ja Emil ist da

ja Ina ist da

3

wo ist Ina
wo ist Udo
wo ist Dora
wo ist Emil

hier hier hier
alle alle hier

da ist Ina
da ist Udo
da ist Dora
da ist Emil

ja ja ja
alle alle da

ade Ina
ade Udo

ade Dora
ade Emil

die Tür

das Bild

Kasperle

das Fenster

die Tafel

der Ofen

der Tisch

Anni

Peter

der Stuhl

Udo komm wo ist die Tür

 Ina komm wo ist die Tafel

 Emil komm wo ist der Tisch

 Dora komm wo ist der Stuhl

 Peter komm wo ist das Fenster

 Anni komm wo ist das Bild

 Kasperle komm wo ist der Ofen

die Tür	die Tafel	der Tisch	das Fenster	der Stuhl

6

Udo lauf, da ist die Tür

Ina lauf, da ist die Tafel

Emil lauf, da ist der Tisch

Dora lauf, da ist der Stuhl

Peter lauf, da ist das Fenster

Anni lauf, da ist das Bild

Kasperle lauf, da ist der Ofen

| das Bild | der Ofen | Peter | Anni | Kasperle |

7

Ina und Udo rufen
Emil und Dora rufen
Peter und Anni rufen

alle rufen
Kasperle Kasperle
der Ofen der Ofen
lauf Kasperle lauf

ja ja ja
Kasperle ist da
Kasperle Kasperle
lauf lauf lauf
wo ist Kasperle
da da da
Kasperle Kasperle
Kasperle ist da

guten Morgen  ruft die Sonne

guten Morgen ruft der Vogel

guten Morgen ruft der Wind

guten Morgen ruft die Mutter

guten Morgen liebes Kind

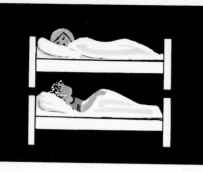

wo sind die Kinder
wo sind Ina und Udo
Ina und Udo schlafen

da ruft die Sonne
da ruft der Vogel
da ruft die Mutter
da ruft der Wind
guten Morgen
guten Morgen
liebes Kind

die Kinder sind wach
Ina ist wach
Udo ist wach

Ina und Udo sind auf
guten Morgen Ina
guten Morgen Udo

wo sind Dora und Emil
wo sind Anni und Peter

Dora und Emil schlafen
Anni und Peter schlafen

Mutter Mutter
die Kinder schlafen
komm Kasperle komm

bum bum bum
Dora ist wach

bum bum bum
Emil ist wach

bum bum bum
Anni ist wach

bum bum bum
Peter ist wach

der Vogel	der Wind	die Sonne

guten Morgen ruft die Sonne
guten Morgen ruft der Wind
guten Morgen ruft der Vogel
guten Morgen liebes Kind

guten Morgen liebe Sonne
guten Morgen lieber Wind
guten Morgen lieber Vogel
guten Morgen ruft das Kind

Kasperle lauf
Kasperle lauf
alle Kinder sind wach
alle Kinder sind auf
Kasperle Kasperle
lauf

die Mutter

die Kinder

das Kind

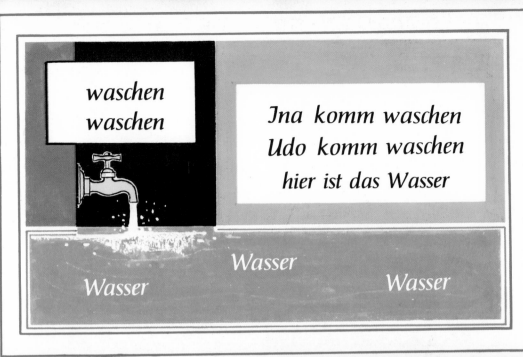

waschen
waschen

Ina komm waschen
Udo komm waschen
hier ist das Wasser

Wasser

Wasser

Wasser

da ist der Kamm

da ist die Bürste

da ist die Seife

da ist das Tuch

alle rufen Ina komm Udo komm

da sind Udo und Ina

da ist Kasperle
Kasperle ruft
alle fort
alle fort
bum bum

lauf Seife lauf
lauf Bürste lauf
lauf Kamm lauf
lauf Tuch lauf

fort alle
alle fort

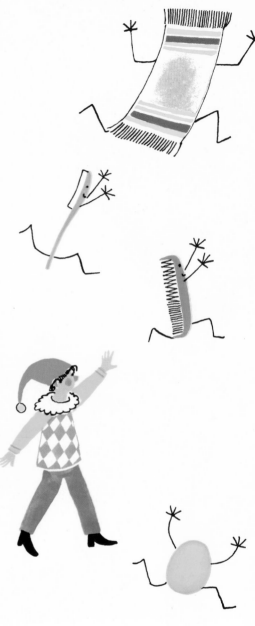

die Bürste ist fort
der Kamm ist fort
die Seife ist fort
das Tuch ist fort

Ina und Udo rufen

wo ist die Seife
wo ist die Bürste
wo ist das Tuch
wo ist der Kamm

da ruft Kasperle

kommt
kommt
kommt

da kommt die Seife
da kommt das Tuch

da kommt die Bürste
und da ist der Kamm

die Mutter ruft
die Mutter ruft
Kinder waschen
Udo waschen
Ina waschen

der Kamm

die Bürste

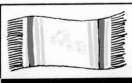
das Tuch

die Seife

die Kinder sind schon rein
Udo ist schon rein
Ina ist schon rein

ja das Wasser
das ist fein
Ina Udo
sind schon rein

Tuch und Seife
die sind fein
Dora Emil
sind schon rein

Kamm und Bürste
die sind fein
alle Kinder
sind schon rein

da der Spiegel
der ist fein
Spiegel Spiegel
wer ist rein

Mutter Mutter
wir sind rein
da ruft Mutter
das ist fein

das Wasser

der Spiegel

wer ist fertig

da sind die Schuhe

da ist die Hose

da sind die Socken

da ist der Rock

alle rufen wir sind da wir sind da

Kasperle komm
  wir tanzen
  bum bum
  wir tanzen
  wir tanzen
  bum bum

da tanzen die Socken
da tanzen die Schuh
da tanzen der Rock
und die Hose dazu

Kasperle ruft
Ina und Udo sind da
fort alle
alle fort

Ina und Udo rufen

da ruft Kasperle
alle kommen
alle kommen

ja fort ist die Hose
ja fort sind die Schuh
ja fort sind der Rock
und die Socken dazu

und wo sind die Socken
und wo sind die Schuh
und wo sind der Rock
und die Hose dazu

da kommen die Socken
da kommen die Schuh
da kommen der Rock
und die Hose dazu

die Hose	der Rock	die Socken	die Schuhe

18

die Mutter ruft
sind die Kinder fertig
ist Ina schon fertig
ist Udo schon fertig

die Kinder rufen
ja Mutter
wir sind schon fertig

wir essen nun das Brot
wir essen nun das gute Brot
ja ja das gute Brot
wir essen nun das Brot

wir trinken nun die Milch
wir trinken nun die süße Milch
ja ja die süße Milch
wir trinken nun die Milch

wir essen nun das Ei
wir essen nun das gute Ei
ja ja das gute Ei
wir essen nun das Ei

der Apfel	das Brot	das Ei	die Milch

die Mutter ruft
hier ist der Apfel
der Apfel ist für Ina
der Apfel ist für Udo

hier ist das Brot
das Brot ist für Udo
das Brot ist für Ina

danke Mutter danke

da kommen Emil und Dora
Ina und Udo rufen
guten Morgen Emil
guten Morgen Dora
wir kommen
wir kommen

ade Mutter ade

gehen die Schüler gehen
laufen die Schüler laufen
rennen die Schüler rennen
zur Schule   zur Schule

hier gehen Ina und Udo
da gehen Dora und Emil

zur Schule

wo sind Anni und Peter
da kommen Anni und Peter
Anni lauf
lauf Peter lauf

der Schüler

die Schüler

die Glocke

21

der Gummi ist fort

Peter Peter
die Tasche ist auf
die Tasche ist auf

der Stift ist fort

die Fibel ist fort

das Heft ist fort

alle Kinder lachen

Ina und Udo lachen

Dora und Emil lachen

Peter und Anni weinen

weinen   weinen   weinen

die Fibel	das Heft	der Stift	der Gummi	die Tasche

wo ist nun die Fibel
wo ist nun das Heft
wo ist nun der Gummi
wo ist nun der Stift

alle Kinder suchen

Emil und Udo suchen
Dora und Ina suchen

bitte Peter
hier ist die Fibel

bitte Peter
hier ist das Heft

bitte da ist der Gummi

bitte da ist der Stift

Anni und Peter lachen
Peter und Anni rufen
danke   danke   danke
Ina und Udo rufen
Dora und Emil rufen
bitte   bitte   bitte

die Glocke ruft
die Glocke ruft
bim
bim
bim
da gehen alle Schüler
zur Schule hin

gehen gehen gehen
zur Schule hin

die Glocke ruft
die Glocke ruft
bim bim
bim bim
bim bim
da laufen alle Schüler
zur Schule hin

laufen laufen laufen
zur Schule hin

die Glocke ruft
die Glocke ruft
bim bim bim
bim bim bim
bim bim bim
da rennen alle Schüler
zur Schule hin

rennen rennen rennen
zur Schule hin

wir spielen Schule

Emil ist der Lehrer
der Lehrer ruft
nun malen wir
wir malen alle gern

die Kinder malen

das Haus   die Katze   die Maus

wir singen wir singen
wir malen das Haus
wir malen die Katze
wir malen die Maus

Ina ruft
ich male die Maus
die Maus ist grau

Anni ruft
ich male die Katze
die Katze ist gelb

Udo ruft
ich male das Haus gelb
ich male das Dach rot
ich male die Tür grün
ich male das Fenster blau

Peter ruft nein nein nein
das Haus male ich grau
das Dach male ich blau
die Tür male ich rot
das Fenster male ich gelb

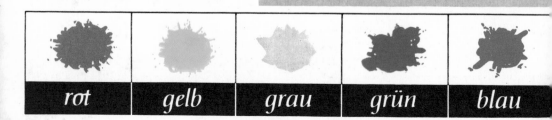

| rot | gelb | grau | grün | blau |

nun ist Udo der Lehrer
der Lehrer ruft
nun spielen wir
wir spielen alle gern

wir spielen Katze und Maus

wer spielt die Katze
wer spielt die Maus
Peter spielt die Katze
Dora spielt die Maus

die Katze ruft
Maus Maus
komm heraus
komm heraus

die Maus ruft
nein nein nein
komm herein
komm herein

| |  | |  |
| das Haus | das Dach | die Katze | die Maus |

der Lehrer ruft
nun singen wir
Kinder kommt
nun singen wir
wir singen alle gern

der Lehrer ruft
nun spielen wir
Kinder kommt
nun spielen wir
wir spielen alle gern

der Lehrer ruft
nun malen wir
Kinder kommt
nun malen wir
wir malen alle gern

der Lehrer ruft
nun tanzen wir
Kinder kommt
nun tanzen wir
wir tanzen alle gern

die Schule ist aus

wir gehen nach Haus
wir laufen nach Haus
wir fahren wir fahren
wir fahren nach Haus

nach Haus

da kommt das Auto
das Auto ist da
da kommt der Bus
der Bus ist schon da

F 3548

wer bleibt hier
wer bleibt hier
Kasperle Kasperle
Kasperle bleibt hier

das Auto kommt schon
das Auto ist da

guten Tag Vater
guten Tag Udo
der Vater ruft
wo ist Ina
schnell Ina schnell
wir fahren nach Haus

Dora und Emil rufen
wo ist der Bus
da kommt der Bus
schnell Dora schnell
wir fahren nach Haus

Peter kommt allein
Anni kommt allein
die Kinder sind allein
schnell Anni schnell
wir gehen nach Haus
wir gehen allein

die Schule ist aus
die Kinder sind zu Haus
zu Haus ist die Mutter
die Mutter ist froh
der Vater ist froh
froh ist nun Ina
und Udo ist froh

Ina und Udo rufen
guten Tag Mutter guten Tag

Vater wo ist Bello
Vater ist Bello fort
nein Bello ist da
Bello Bello
da ist Bello
komm Bello komm
guten Tag Bello
komm spielen
lauf Bello lauf

das Auto

der Bus

der Vater

Bello

die Schule ist aus
wir gehen nach Haus
nach Haus gehen wir
und Anni bleibt hier
bleibt hier bleibt hier

die Schule ist aus
wir laufen nach Haus
nach Haus laufen wir
und Peter bleibt hier
bleibt hier bleibt hier

die Schule ist aus
wir fahren nach Haus
nach Haus fahren wir
und Emil bleibt hier
bleibt hier bleibt hier

die Schüssel ist groß

die Schüssel ist klein

der Teller ist groß

der Teller ist klein

der Löffel ist groß

der Löffel ist klein

ich bin das Messer

ich bin die Gabel

ich bin der Tisch

und ich bin der Fisch

Ina und Udo rufen

wir holen die Schüssel
wir holen alle Teller
wir holen alle Löffel
wir holen das Messer
wir holen die Gabel

Messer und Gabel

sind für Vater und Mutter

Udo wo ist mein Teller

Udo wo ist dein Teller

Ina wo ist mein Löffel

Ina wo ist dein Löffel

Ina das ist mein Teller

Ina das ist dein Teller

Udo das ist mein Löffel

Udo das ist dein Löffel

die Schüssel	**der Teller**	**der Löffel**	**das Messer**

die Mutter ruft
Ina komm essen
Udo komm essen
wo ist der Vater
Vater komm essen
kommt alle zu Tisch
wir essen Suppe
wir essen Fisch

da ruft Udo
meine Suppe esse ich nicht
ich esse meine Suppe nicht
die Mutter ruft Udo
da sind Bello und Mieze
Bello und Mieze
kommt her kommt her

nein ruft Udo nein
ich esse die Suppe allein
da lachen Vater und Mutter
da lachen Ina und Udo

die Gabel	der Fisch	die Suppe	die Mieze

kommt her kommt her zu Tisch
wir essen Suppe und Fisch
Fisch und Suppe essen wir
alle Kinder sind schon hier
kommt her kommt her zu Tisch
wir essen Suppe und Fisch

zu Tisch kommt her kommt her
wir essen alles leer
wir essen alle Teller leer
wir essen auch die Schüssel leer
zu Tisch kommt her kommt her
wir essen alles leer

der Bello kommt wau wau
die Mieze kommt miau
wo ist die Milch die süße Milch
wo ist das Brot das gute Brot
da ist das Brot wau wau
und hier die Milch miau

Kasperle ruft
wer spielt gern
Ina und Udo sagen
wir spielen gern

Dora und Emil sagen
wir spielen gern
Peter und Anni sagen
kommt alle spielen

da ist der Reifen

da ist der Ball

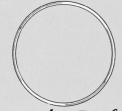

da ist der Roller

da ist die Puppe

da ist der Bär

da ist der Zug

Ina sagt
das ist mein Ball
mein Ball ist bunt
Emil sagt
das ist mein Reifen
mein Reifen ist rund

Dora sagt
das ist meine Puppe
meine Puppe ist fein
Peter sagt
das ist mein Roller
mein Roller ist klein

Udo sagt
das ist mein Zug
mein Zug ist leer
Anni sagt
das ist mein Bär
kommt her kommt her

der Reifen	die Puppe	der Ball	der Bär	der Roller

Kasperle sagt
das ist mein Wagen
Kinder kommt her
mein Wagen
mein Wagen
ist nicht leer

das ist mein Reifen

die Kinder sagen
der Reifen ist nicht rund

das ist mein Ball

alle Kinder rufen
der Ball ist nicht bunt

hier ist meine Puppe

alle Kinder lachen
die Puppe ist nicht fein

alle lachen und sagen
der Reifen ist nicht rund
der Ball ist nicht bunt
die Puppe ist nicht fein
der Wagen ist klein
aus aus aus Kasperle fahre nach Haus

der Wagen

der Zug

müde ist die Sonne schon
und müde ist der Wind
müde ist die Puppe auch
und müde ist das Kind

der Vogel singt
schlaf ein schlaf ein
ich fliege in das Nest
das Nest ist klein
das Nest ist fein
schlaf ein mein Kind
schlaf ein

da ruft der Stern
ich wache gern
der Mond lacht gute Nacht
und Mond und Stern
sind nicht allein
schlaf ein mein Kind
schlaf ein

gute Nacht
gute Nacht

 der Stern
 die Nacht
 das Nest
 der Mond

Da kommt der Nikolaus

Schau, Udo, schau.
Da kommt ein Mann.
Die Mütze ist rot.
Der Bart ist grau.
Der Mantel ist lang.
Die Stiefel sind dick.
Die Rute ist groß.

Ina, da ist der Esel.
Schau, der Esel ist klein.
Schau, der Sack ist groß.

41

Udo ruft: Anni, Peter!
Der Nikolaus kommt.
Er kommt in unser Haus.
Er kommt in unser Haus.
Da ist der Esel.
Der Esel ist klein.
O, der Sack ist groß.
O, der Sack ist schwer.

Bum, bum, bum.
Da ist der Nikolaus.
Die Mütze ist rot.
Der Bart ist grau.
Der Mantel ist lang.
Die Stiefel sind dick.
Die Rute ist groß.

Guten Abend, guten Abend,
sagt der Nikolaus.
Guten Abend, liebe Mutter.
Sind die Kinder gut?
Sind die Kinder böse?

Guten Abend, Nikolaus.
Komm in unser Haus.
Die Kinder hier sind gut.
Die Kinder sind nicht böse.

Nun fragt der Nikolaus:
Wer kann gut lernen?
Alle Kinder rufen:
Wir lernen gut lesen.
Wir lernen schön schreiben.
Wir lernen schnell rechnen.
Wir lernen fein malen.

Peter sagt:
Ich kann gut lesen.

Ina sagt:
Ich kann schön schreiben.

Udo sagt:
Ich kann schnell rechnen.

Anni sagt:
Ich kann fein malen.

Der Nikolaus fragt:
Wer kann beten?
Ina und Udo beten.
Alle Kinder beten.

Da rollen, rollen, rollen

hier der Apfel, *hier die Nuß,*
da die Nuß, 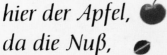 *da der Apfel.* 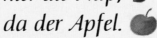 *Danke, danke!*

die Rute

Da kommt ein Mann.
Der Bart ist grau.

(Die Mütze ist rot)
(Der Mantel ist lang)
(Die Stiefel sind dick)
(Die Rute ist groß)
(Der Sack ist schwer)

der Bart

der Sack

Sagt, Kinder,
wer das ist!
Das ist
der gute Nikolaus.
Er kommt,
bum, bum,
in unser Haus.
Er kommt
in unser Haus.

der Mantel

die Mütze

Wir beten
und wir singen schön,
und Nikolaus
kann wieder gehn.
Wir danken schön.
Auf Wiedersehn!
Wir danken schön.
Auf Wiedersehn!

die Stiefel

die Nuß

der Nikolaus

der Esel

44

✳ Das Christkind ist da ✳

Das Christkind im Himmel,
es kommt auf die Erde.

Wir sehen die Hirten.
Wir sehen die Herde.

Wir sehen die Schafe
und Esel und Kuh.

Wir sehen Maria
und Josef dazu.

Wir sehen das Haus
und die Krippe mit Stroh.

Wir sehen das Christkind,
und nun sind wir froh.

Wir schneiden einen Engel.
Wir schneiden einen Stern.
Ina, ich hole die Schere.
Ich hole das Papier.
O, das Papier ist bunt.
O, die Schere ist groß.
Wir schneiden, schneiden.
Nun ist der Stern fertig.
Nun ist der Engel fertig.
O, der Engel ist schön!

Wir bauen ein Haus.
Wir bauen eine Krippe.
Vater, ich hole das Holz.
Udo, ich hole die Säge.
Hier ist das Holz.
Da ist die Säge.
Wir sägen, sägen, sägen.
Wir bauen, bauen, bauen.
Nun ist die Krippe fertig!

Ina und Udo sagen:
Wir formen die Hirten.
Wir formen die Kuh.
Wir formen die Schafe
und einen Esel dazu.
Mutter, Mutter,
wo sind Maria und Josef?
Hier ist Maria.
Hier ist Josef.

Kommt alle die Krippe sehen!
Da ist der Engel.
Da ist der Stern.
Da ist die Krippe mit Stroh.
Da ist die Herde.
Da sind die Hirten.
Da sind Esel und Kuh.
Da sind Maria und Josef
und das Christkind dazu.
O, die Krippe ist schön!

In der Krippe,
in der Krippe
liegt das Kind,
liegt das Kind.

Und vom Himmel,
und vom Himmel
weht der Wind,
weht der Wind.

In der Krippe,
in der Krippe,
da auf Stroh,
da auf Stroh,

liegt das Christkind,
liegt das Christkind,
ist so froh,
ist so froh.

Und wir kommen,
und wir sehen
nun das Kind,
nun das Kind.

Und wir sehen,
und wir hören,
wie so froh
nun alle sind.

die Kuh	die Säge	die Schere	das Holz	das Schaf

Ina, komm,
juhee, juhee,
der erste Schnee,
der erste Schnee,
das erste Eis,
das erste Eis.
Alles ist weiß.
Alles ist weiß.

Hier ist
der erste Schneemann.

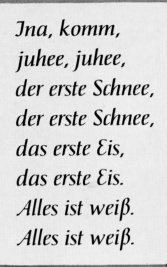

Da ist
der erste Schlitten.

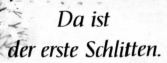

Wir laufen hinaus,
hinaus aus dem Haus.
Da ist das Eis.
Da ist der Schnee.
Juhee, juhee!

Weiß ist das Dach.
Weiß ist der Baum.
Weiß ist der Zaun.

Der Winter ist da.   Ei ja. Ei ja.

Die Mutter sagt:
Das Eis ist kalt.
Der Schnee ist kalt.

Die Kinder lachen und rufen:
Die Stiefel sind warm.
Die Mütze ist warm.
Der Mantel ist warm.
Mutter, wir frieren nicht.
Unsere Hände frieren nicht.
Unsere Füße frieren nicht.

Emil und Dora kommen.
O, der schöne Schlitten,
rufen Ina und Udo.
Emil sagt:
Kommt, Schlitten fahren.
Hinaus! Hinaus!
Wir sausen! Wir sausen

Ein Baum, ein Baum – o weh!
Ein Zaun, ein Zaun – o weh!
Alle liegen nun im Schnee.
Ina und Dora
liegen im Schnee.

Udo und Emil
liegen im Schnee.
Alle lachen: Ha, ha, ha.
Wo ist unser Schlitten?
Unser Schlitten ist da.

Schneemann bauen,
Schneemann bauen,
das ist schön!
Wir kommen auch.
Wir rollen auch Schnee.
Wir bauen auch mit.

Udo und Emil fragen:
Wo sind die Ohren?
Wo sind die Augen?
Wo ist die Nase?
Wo ist der Stock?
Wo ist der Hut?

So ein Schneemann!
Er hat keine Nase.
Er hat keine Augen.
Er hat keine Ohren.
Er hat keinen Hut.
Er hat keinen Stock.
O weh, o weh, o weh!

Hier sind die Augen.
Hier sind die Ohren.
Hier ist der Stock.
Hier ist eine Rübe.
Die Rübe ist die Nase.
Hier ist ein Topf.
Der Topf ist der Hut.

Die Kinder rufen:
Der Schneemann ist fertig.
Unser Schneemann ist gut.
Er hat so schöne Augen.
Er hat auch Stock und Hut.

Kalt ist der Winter,
so rufen die Kinder.
Wir frieren,
wir frieren.
Die Nase ist kalt.

(Die Ohren sind kalt.)
(Die Hände sind kalt.)
(Die Füße sind kalt.)

Kommt nun nach Hause,
nach Hause kommt bald,
dann ist die Nase,
die Nase nicht kalt.

A, a, a, der Winter ist nun da.
E, e, e, ich bin so gern im Schnee.
I, i, i, wie saust der Schlitten, wie!
O, o, o, nun sind die Kinder froh.
U, u, u, der kalte Wind ruft: Huuu.
Ja, ja, ja, der Winter ist nun da.

der Schlitten | der Zaun. | der Baum. | Die Rübe

Die Kinder rufen:
Udo, komm spielen!

Nein, sagt Udo.
Ich mag nicht spielen.
Ich mag nicht laufen.
Ich mag nicht springen.
Ich mag auch nicht essen.

Da kommt die Mutter.
Die Mutter sagt:
Udo, was ist mit dir?
Udo, bist du krank?

Udo sagt:
Mein Kopf tut weh.
Mein Hals tut weh.

Udo, deine Hände sind heiß.
Deine Backen sind rot.
Udo, du bist krank.
Komm schnell nach Haus.
Komm in das Bett.

Udo, mein Kind,
in das Bett geschwind.
Geschwind, geschwind,
du bist krank, mein Kind.

Udo weint:
Mein Kopf tut weh.
Mein Hals tut weh.
Kommt der Onkel Doktor?

Da kommt der Onkel Doktor.
Guten Abend, Udo.
Was tut dir weh?

Mein Kopf tut weh.
Mein Hals tut weh.
Meine Hände sind heiß.

Ja, Udo,
deine Hände sind heiß.
Deine Backen sind rot.
Hier ist die Medizin.

Trinke die Medizin.
Sei brav, sei brav.
Bleibe im Bett
und schlaf und schlaf.

Ina fragt:
Mutter, was ist mit Udo?
Ist Udo krank?
Bleibt Udo im Bett?

Ja, Udo ist krank.
Er ist heute brav.
Er bleibt heute im Bett.
Er trinkt die Medizin.

Er geht morgen
nicht in die Schule.
Ina geht morgen allein.

Der Onkel Doktor
kommt morgen wieder.
Er macht Udo bald gesund.

Udo ist wieder gesund.
Vater und Mutter sind froh.
Ina ist auch froh.
Udo kann wieder lachen.

Udo kann wieder essen.
Er kann wieder springen.
Er kann nun singen:
Ich bin wieder gesund!

Das Kind ist krank,
das liebe Kind.
Das Kind ist krank, o weh.
Der Kopf tut weh.
Der Hals tut weh.
Das Kind ist krank, o weh.

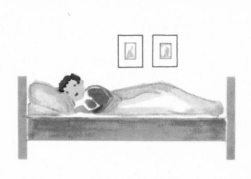

Es liegt im Bett,
das liebe Kind.
Es liegt im Bett, o weh.
Wer macht geschwind
gesund das Kind,
das kranke Kind, o weh?

Der Doktor kommt.
Der Doktor kommt.
Der Doktor ist schon da.
Er macht geschwind
gesund das Kind,
das liebe Kind, ei ja!

Ich bin wieder gesund!
Wo sind Ina, die Mieze
und Bello, mein Hund?

Wir wollen spielen.
Wir wollen springen.
Wir wollen laufen.
Wir wollen singen:

Ich bin wieder gesund!
Komm, Ina, komm, Mieze,
komm, Bello, mein Hund.

Heute kommen Dora und Emil.
Ina und Udo warten schon.
Sie warten nicht gern.
Sie laufen auf die Treppe.
Da kommen Dora und Emil.
Sie kommen die Treppe herauf.
Guten Tag, Emil, komm herauf.
Guten Tag, Dora, komm herauf.

Emil fragt: Was spielen wir heute?
Udo sagt:
Heute zeigen wir unsere Wohnung.

Das ist fein, sagt Dora.
Morgen zeigen wir unsere Wohnung.
Da ruft Ina: Kommt, wir wollen gehen.
Wir wollen alle Zimmer sehen.

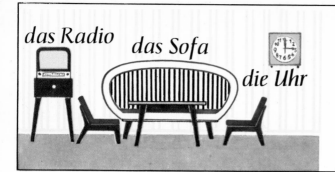

das Radio
das Sofa
die Uhr

Das Zimmer ist groß.
Hier wohnen wir.
Zeige bitte:
Was ist hier?

die Lampe
die Stühle

Das Zimmer ist schön.
Hier essen wir.
Zeige bitte:
Was ist hier?

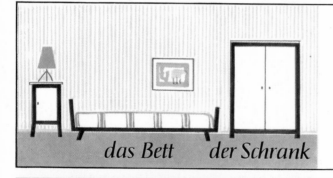

das Bett   der Schrank

Das Zimmer ist hell.
Hier schlafen wir.
Zeige bitte:
Was ist hier?

Udo ruft:
Wer kann zeigen,
wo wohnen wir,
wo essen wir,
wo schlafen wir,
wo kochen wir,
wo baden wir,
wo spielen wir?

Ina ruft: Wo ist das Radio?
Wo ist die Wanne?
Wo ist das Sofa?
Wo ist die Lampe?
Wo ist der Schrank?
Wo ist die Wanne?
Wo ist das Pferd?
Wo ist der Herd?

Das ist die Küche.
Hier kochen wir.
Zeige bitte:
Was ist hier?

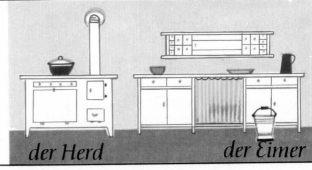

der Herd   der Eimer

Das Zimmer ist fein.
Hier baden wir.
Zeige bitte:
Was ist hier?

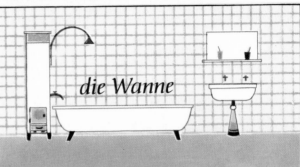

die Wanne

Das Zimmer ist klein.
Hier spielen wir.
Zeige bitte:
Was ist hier?

das Pferd

Da fragt Dora: Ina, wo ist die Uhr?
Wir wollen nach Hause.
Vater und Mutter
warten schon.

das Sofa

der Eimer

die Lampe

die Uhr

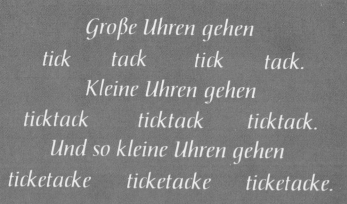

Große Uhren gehen
tick   tack   tick   tack.
Kleine Uhren gehen
ticktack   ticktack   ticktack.
Und so kleine Uhren gehen
ticketacke   ticketacke   ticketacke.

So gehen sie, so ticken sie
Tag für Tag.
So gehen sie, so ticken sie
Nacht für Nacht.

Tag für Tag tick tack.
Nacht für Nacht tick tack.
Tag und Nacht tick tick tack.

Wo wohnen wir?	Hier wohnen wir.
Wo essen wir?	Hier essen wir.
Wo schlafen wir?	Hier schlafen wir.
Wo kochen wir?	Hier kochen wir.
Wo baden wir?	Hier baden wir.
Wo spielen wir?	Hier spielen wir.
Hier, hier, hier!	Wir, wir, wir!

Das ist schön und das ist fein.
Bitte, bitte, kommt herein.
Bitte, kommt herein!

Wir spielen Familie

Heute kommen Anni und Peter.
Udo und Ina sagen:
Die Eltern sind zu Haus.
Wir haben die Eltern lieb.
Zu Haus ist der Vater.
Vater rufen wir Papa.
Zu Haus ist die Mutter.
Mutter rufen wir Mama.

Zu Haus ist der Großvater.
Großvater rufen wir Opa.
Zu Haus ist die Großmutter.
Großmutter rufen wir Oma.

Wir haben noch einen Bruder.
Wir haben noch eine Schwester.
Bruder und Schwester
sind noch klein.
Sie rufen schon:
Papa, Mama, ja und nein.

Ina ruft: Anni, Peter, kommt!
Wir spielen heute Familie.
Wir spielen Vater, Mutter, Kinder.
O ja, wir spielen heute Familie.
Udo fragt: Wer spielt die Eltern?
Ina, du bist die Mutter.
Peter, du bist der Vater.
Was bist du? fragt Ina.
Anni und ich,
wir sind Bruder und Schwester.

Udo fragt:
Papa, wo ist dein Hut?
Papa, wo ist dein Stock?
Ina fragt:
Mama, wo ist dein Mantel?
Mama, wo ist dein Schirm?
Da ist der Mantel,
und da ist der Schirm,
Hier ist der Stock,
und hier ist der Hut.
Alles ist da. Das ist gut.

Peter geht mit Stock und Hut.
Ina geht mit Mantel und Schirm.
Ei, wie lustig! Ei, wie lustig!

Ina und Peter
sind die Eltern.
Anni und Udo
spielen Bruder und Schwester.
Udo sagt:
Wir gehen nun spazieren.
Ina und Peter gehen spazieren.
Anni und Udo gehen spazieren.

Ina und Peter grüßen.
Anni und Udo grüßen.
Sie grüßen Opa und Oma.
Guten Tag, Großvater!
Guten Tag, Großmutter!
Großvater und Großmutter lachen.
Opa und Oma grüßen auch:
Guten Tag, liebe Eltern!
Guten Tag, liebe Kinder!

Dann sind
Anni und Udo die Eltern.
Ina und Peter
spielen Bruder und Schwester.

Das ist lustig,
das ist schön.
Lustig ist spazieren gehn.

Lieber Bruder, tanz mit mir.
Beide Hände reich ich dir.
Einmal hin und einmal her,
Bruder, komm, das ist nicht schwer.

Schwester, nein, das kann ich nicht.
Tanzen, tanzen mag ich nicht.
Einmal hin und einmal her,
Schwester, nein, das ist zu schwer.

Lieber Bruder, das ist dumm.
Komm, wir tanzen da herum.
Einmal hin und einmal her,
Bruder, komm, das ist nicht schwer.

Schwester, ja, das ist nicht dumm.
Ich tanze schon allein herum.
Einmal hin und einmal her,
Schwester, komm, das ist nicht schwer.

Liebe Schwester, tanz mit mir.
Beide Hände reich ich dir.
Einmal hin und einmal her,
Schwester, komm, das ist nicht schwer.

Komm in die Küche

Die Mutter sagt:
Komm mit in die Küche.
Udo, zeige mir.
Was ist alles hier?

 Das ist die Schüssel.
Das ist der Topf.

 Hier stehen die Teller.
Da stehen die Tassen.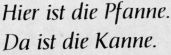

 Hier ist der Eimer.
Da ist der Besen.

Hier ist die Pfanne.
Da ist die Kanne.

Hier ist der Essig.
Da ist das Öl.

Hier ist das Salz.
Da ist das Mehl.

 Hier ist die Milch,
und da ist die Butter.

 Ist das nun alles?
Sag, liebe Mutter.

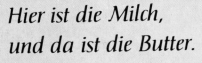
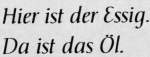

Klopf, klopf, klopf!
Wer kommt zu mir?
Klopf, klopf, klopf!
Wer kommt da
durch die Tür?

Durch die Tür
kommen zwei Wichtel.
Zwei Wichtel
sind nun da.

Wir wollen helfen,
wir wollen helfen.
Wir können alles,
rufen sie.

Wir können alles
so geschwind.
Wir können alles
wie der Wind.

Wir waschen die Teller.
Wir waschen die Tassen.
Wir putzen die Kanne.
Wir putzen die Pfanne.
Wir fegen die Küche.
Wir fegen das Haus.

Komm, Besen,
wir tanzen
zur Küche hinaus!
Da ruft die Mutter:
Danke, liebe Wichtel,
danke!

Ina hat auch eine Küche.
Das ist eine Küche
für die Puppen.
Die Küche ist klein.
Ina und Anni spielen.
Sie kochen heute
für die Puppen.
Da fragt Anni:
Haben wir auch alles da?
Komm, wir wollen sehen.

Da sind	Schüssel und Topf,
Essig und Öl,	Messer, Gabel, Löffel,
Zucker und Mehl,	Eimer und Besen,
Butter und Salz,	und da ist der Herd.

Alles ist klein.
Alles ist fein.
Alles ist rein.

Wir kochen für die Puppe	Wir holen noch ein Ei.
eine dicke süße Suppe.	Wir kochen einen Brei.

Wir kochen heute Brei.
Wir kochen heute süßen Brei.
Wir kochen heute Brei.

Wir holen schon die Milch.
Wir holen schon die gute Milch.
Wir holen schon die Milch.

Wir bringen nun das Mehl.
Wir bringen nun das weiße Mehl.
Wir bringen nun das Mehl.

Der Zucker ist nicht da.
Der süße Zucker ist nicht da.
Schau her, da ist er ja!

Wir haben alles da.
Ja, Zucker, Milch und Mehl sind da.
Wir haben alles da.

Wir rühren, rühren Brei.
Wir rühren, rühren süßen Brei.
Wir rühren, rühren Brei.

Wir essen heute Brei.
Auch alle Puppen essen Brei.
Wir essen heute Brei.

Ich gehe zum Kaufmann

Ina, Udo,
wer will zum Kaufmann gehen?
Ich, ich, rufen Ina und Udo.
Das ist schön, sagt die Mutter.

Ina, da ist der Korb.
Udo, da ist die Tasche.
Hier ist das Geld, Kinder.

Komm, Ina, wir wollen laufen.
Komm, Udo, wir wollen kaufen.

Da ist schon der Kaufladen.
Der Kaufladen ist schön.
Der Kaufladen ist groß.

Der Kaufmann ruft:
Guten Tag, Kinder.
Kommt bitte herein.
Kauft ein, kauft ein.

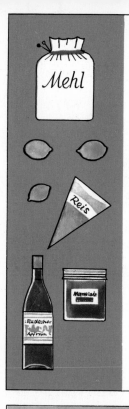

Was wollen wir heute kaufen?
Das wollen wir heute kaufen:

Zucker und Mehl,
Essig und Öl,
Zitronen und Tee,
Reis und Kaffee,
ein wenig Marmelade
und viel Schokolade.

Haben wir alles? O nein.
Bitte noch eine Flasche Wein.

Hier sind Essig und Öl.
Da sind Zucker und Mehl,
ein wenig Marmelade
und viel Schokolade.

Da sind die Zitronen.
Hier ist ein wenig Tee.
Da ist der Reis, viel Reis,
und hier ist der Kaffee.

Das alles und die Flasche Wein
legen wir in die Tasche hinein.
Ina, Ina, dein Korb ist zu klein.

Hier ist das Geld.
Wir danken schön.
Der Kaufmann ruft:
Auf Wiedersehn!

Udo ruft:
Das ist mein Kaufladen.
Ich bin heute der Kaufmann.

Mein Kaufladen ist klein.
Mein Kaufladen ist fein.
Kauft ein, kauft ein!

Da kommen Dora und Ina.
Guten Tag, Herr Kaufmann.
Was können wir kaufen?
Haben sie Zitronen?
Haben sie viel Reis?
Haben sie Marmelade?
Haben sie Schokolade,
viel Zucker und Mehl,
ein wenig Butter und Öl?

Was kostet der Zucker?
Was kostet die Butter?
Was kostet das Mehl?
Was kostet das Öl?
Der Kaufmann sagt:
Ich habe viel Schokolade.
Ich habe viel Marmelade.
Ich habe ein wenig Tee.
Ich habe ein wenig Kaffee.

Herr Kaufmann,
Herr Kaufmann,
der Laden ist schön.
Im Laden, im Laden,
da ist viel zu sehn.

Haben sie Kaffee,
und haben sie auch Tee?
Haben sie Mehl,
und haben sie Öl?
Haben sie auch Butter?
so fragt unsre Mutter.
Haben sie Salz,
und haben sie Wein?
Alles ist da,
kommt bitte herein.

Ich wiege nun Kaffee,
ich wiege nun auch Tee.
Ich wiege das Mehl,
und ich wiege das Öl.
Ich wiege nun die Butter,
so will es die Mutter.
Ich wiege das Salz,
und hier ist auch der Wein.
In Tasche und Korb
kommt alles hinein.

Nun haben wir alles.
Wir danken auch schön.
Hier bitte das Geld
und auf Wiedersehn!

Wir bauen eine Stadt

Heute kommen Peter und Emil.
Udo ruft: Emil, Peter,
da ist mein Baukasten.
Mein Baukasten ist schwer.
Ich habe viele Steine.
Sie sind rot und blau.
Sie sind gelb und grau.
Sie sind schwarz und weiß.
Wir legen Stein auf Stein.
Wir bauen eine Stadt,
die viele, viele Häuser hat.

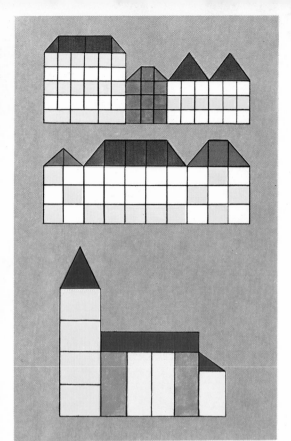

Udo sagt:
Mein Baukasten ist groß.
Viele Steine sind schwarz.
Viele Steine sind weiß.
Ich baue schöne Häuser.
Viele Häuser sind hoch.

Emil ruft:
Ich baue die Kirche.
Die Kirche ist gelb.
Das Dach ist blau.
Die Kirche hat einen Turm.
Der Turm ist hoch.
Der Turm ist spitz.

Peter sagt:
Ich baue die Post.
Meine Post ist gelb.
Meine Post hat ein Dach.
Das Dach ist rot.

Emil ruft:
Ich baue die Schule.
Unsere Schule ist groß.
Unsere Schule ist lang.
Das Dach ist grau.
Die Treppe ist groß.

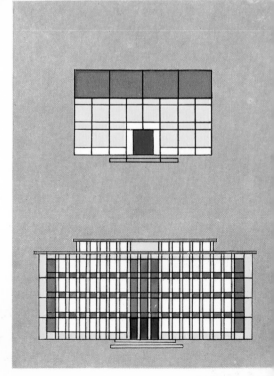

Da sagt Emil:
Um die Kirche
baue ich viele Häuser.
Das wird ein Platz.
Der Platz ist rund.
Der Platz ist schön.

Peter ruft:
Wo ist der Bahnhof?
Wo ist das Kaufhaus?
Ich baue das Kaufhaus.
Das Kaufhaus wird groß.
Udo und Emil sagen:
Wir bauen einen Bahnhof.
Wir holen viele Steine.
Der Bahnhof ist blau.
Wir bauen auch einen Zug.
Der Zug ist lang und bunt.

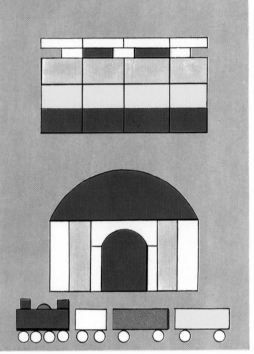

Da geht die Tür auf.
Bello kommt herein.
Bello, hinaus, hinaus!
Da springt Bello
in die Stadt.
Bum, bum, bum, bum,
alle Häuser fallen um.

Wir bauen, bauen eine Stadt,
die viele, viele Häuser hat.
Die Stadt ist groß.
Die Stadt ist schön.
Was werden wir dort alles sehn?

Stein auf Stein und noch ein Stein,
gleich wird die Kirche fertig sein.

Legen, legen, Stein auf Stein,
der Turm ist hoch, er ist nicht klein.

Ein grauer Stein und noch ein Stein,
gleich wird der Bahnhof fertig sein.

Ein gelber Stein, ein roter Stein,
die Post, die wird gleich fertig sein.

Stein auf Stein, was wird das sein?
Das ist das Kaufhaus, groß und fein.

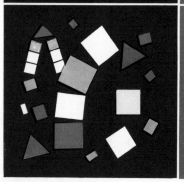

Da kommt Bello, bum, bum, bum,
springt in die Stadt,
springt da herum.
Und alle Häuser, ach, wie dumm,
und Turm und Kirche fallen um.

Komm mit auf die Straße

Schau, Peter,
das ist unsere Straße.
Unsere Straße ist lang.
Unsere Straße ist breit.

Rechts sind viele Häuser.
Links sind viele Häuser.
Rechts sind viele Bäume.
Links sind viele Bäume.

Da ist die Straßenbahn.
Die Straßenbahn macht
kling-ling-ling.

Hier ist die Ecke.
Komm mit an die Ecke.
Da steht der Schutzmann.
Der Schutzmann ist mein Freund.

Komm, Udo,
wir gehen auf die Straße.
Da sausen die Autos.
Da fahren die Wagen.
Da klingeln die Bahnen.
Da gehen viele Leute.

Ina ruft:
Ich komme auch mit.
Ich hole meinen Ball.
Da kommt Bello.
Bello will auch mit.
Alle laufen auf die Straße.

Sie laufen an die Ecke.
Schau, Peter, das Licht.
Einmal ist das Licht rot.
Einmal ist das Licht grün.
Peter sagt: Das weiß ich.
Das rote Licht ist: Halt!
Das grüne Licht ist: Gehen!

Da ruft Ina:
O weh, mein Ball.
Er springt auf die Straße.
Bello springt auch mit.
Halt, Bello, halt!

Die Autos sausen.
Die Wagen fahren.
Die Straßenbahnen klingeln.
Die Leute laufen.
Der Ball ist fort.
Bello ist auch fort.

Die Kinder weinen und rufen.
Das hört der Schutzmann.
Der Schutzmann hebt die Hand:
Da halten die Autos.
Da halten die Wagen.
Da halten die Straßenbahnen.

Der Schutzmann holt Bello.
Er holt auch den Ball.
Hier ist Bello, da ist der Ball.
Geht nun nach Haus.
Spielt nicht auf der Straße.
Danke, lieber Schutzmann.
Lieber Schutzmann, danke.

Der Schutzmann hebt die Hand.
Da sausen die Autos.
Da fahren die Wagen.
Da klingelt die Straßenbahn.
Da laufen wieder die Leute.

79

Auf der Straße, auf der Straße,
auf der Straße ist es schön.
Auf der Straße, auf der Straße,
da ist immer viel zu sehn.

Auf der Straße, auf der Straße
fahren Autos hin und her,
fahren Wagen, klingeln Bahnen,
laufen Leute hin und her.

Auf der Straße hör ich immer
kling-ling-ling und tut-tut-tut.
Auf der Straße steht der Schutzmann,
hebt die Hand, und das ist gut.

Achtung, Achtung auf der Straße.
Auf der Straße schlafe nicht.
Achte immer auf das rote
und auch auf das grüne Licht.

Achtung, Achtung auf der Straße.
Auf der Straße spiele nicht.
Spiel zu Haus in Hof und Garten.
Auf der Straße spiele nicht!

Das ist unser Garten

Dora, Anni,
das ist unser Garten.
Kommt durch das Tor.
Das Tor ist offen.
Kommt, hier ist der Weg.
O, der Weg ist breit.
Rechts und links sind Beete.
O, die Beete sind bunt.

Wir sehen schon die Laube.
Die Laube ist schön.
Wir sehen viele Blumen.
Dort sind die Rosen.
Hier sind die Tulpen.
Da sind die Nelken.
Wie grün ist das Gras.
Kommt alle in das Gras!

Ina ruft: Anni, Dora,
kommt in die Laube.
Hier ist die Hacke.
Da ist der Besen.
Wo ist die Gießkanne?
Da ist die Gießkanne.
Wir wollen gleich gießen.

Anni, dort ist mein Beet.
O, das Beet ist schön.
Hier blühen die Tulpen.
Da blühen die Nelken.

Dora sagt:
Ich hole die Hacke.
Ich hacke das Beet.
Anni sagt:
Wo ist der Besen?
Ich fege die Wege.

Ina ruft:
Ich hole die Gießkanne.
Wir gießen alle Blumen.

Meine Blumen sind durstig.
Sie hängen die Köpfchen.
Sie sind schon so müde.
Sie wollen viele Tröpfchen.

Da kommen Udo und Peter.
Peter sagt:
Ich esse gern Kirschen.
Sind die Kirschen schon reif?
Komm, Peter, wir wollen sehen.
Da ist der Kirschbaum.
O, der Kirschbaum ist groß.
Die Kirschen sind rot.
Viele sind schon schwarz.
Peter, die Kirschen sind reif.

Udo, wo ist die Leiter?
Komm, wir holen die Leiter.
Wir steigen, steigen hinauf.
Wir holen uns Kirschen
und essen sie auf.
Ina, Dora, Anni,
kommt schnell!
Wir haben süße Kirschen.

Anni ruft:
Da ist eine schöne Rose.
Ich hole die Rose, sagt Ina.
Die Rose ist für die Mutter.
Au, die Rose hat Dornen.
Die Dornen sind böse.
Au, mein Finger!
Mein Finger tut weh.

Wir Rosen sind durstig.
Wir hängen die Köpfchen.
Hole Wasser, mein Kind.
Hab Dank für die Tröpfchen.

Weiß und rosa, gelb und rot
blühen meine Rosen.

Wir Tulpen sind durstig.
Wir hängen die Köpfchen.
Hole Wasser, mein Kind.
Hab Dank für die Tröpfchen.

Gelb und rosa, weiß und rot
blühen meine Tulpen.

Wir Nelken sind durstig.
Wir hängen die Köpfchen.
Hole Wasser, mein Kind.
Hab Dank für die Tröpfchen.

Rot und rosa, gelb und weiß
blühen meine Nelken.

Alle Blumen haben Durst:
Rosen, Tulpen, Nelken.
Hole Wasser, liebes Kind.
Alle Blumen welken.

Der Vater sagt: Ina, Udo,
wir fahren auf das Dorf.
Wir besuchen Onkel Paul.
Wir besuchen Tante Lisa.
Die Mutter kommt auch mit.

O ja, das ist fein,
rufen Udo und Ina.
Nun fahren wir hinaus.
Wir sehen eine große Wiese.
Die Wiese ist grün.

Da ruft Udo:
Vater, halte bitte, halte!
Ina, höre einmal:
Quak-quak, quak-quak.
Das ist ein Frosch.
Der Frosch sitzt im Wasser.

Er ruft immer: Quak-quak.
Wir fahren weiter.
Da ist das Dorf, sagt Ina.
Ich sehe schon die Kirche.
Wir sind da.
Wir sind da!

Onkel Paul und Tante Lisa
haben viele Tiere.

Die Tiere
grüßen Ina und Udo:

Ich bin die Kuh:
muh-muh!

Ich bin das Schwein:
quiek-quiek!

Ich bin das Schaf:
mäh-mäh!

Ich bin die Ziege:
meck-meck!

Ich bin der Esel:
ia-ia!

Ich bin das Pferd:
Wir kennen uns ja!

Ich bin die Gans:
gack-gack!

Ich bin die Ente:
nat-nat!

Ich bin der Hahn:
kikeriki!

Ich bin das Huhn:
gluck-gluck!

Ich bin die Katze:
miau!

Ich bin der Hund:
wau-wau!

Der Hund sagt:
Ich bewache das Haus.

Die Katze sagt:
Ich fange die Maus.

Das Schaf sagt:
Feine Wolle
gebe ich dir.

Die Kuh sagt:
Milch und Butter
sind von mir.

Das Schwein sagt:
Meine Kinder
sind noch klein.

Das Huhn sagt:
Ich lege Eier
in das Nest hinein.

Das Pferd sagt:
Ich ziehe den Wagen.

Der Esel sagt:
Ich kann die Säcke tragen.

Die Ente sagt:
Ich esse gern,
ich bin bald fett.

Die Gans sagt:
Ich gebe die Federn
für das Bett.

Muh, muh, muh,
so ruft im Stall die Kuh.

Wir geben ihr das Futter.
Sie gibt uns Milch und Butter.

Muh, muh, muh,
so ruft im Stall die Kuh.

Ich hab ein Kätzchen,
lieb und gut,
ein Kätzchen,
weiß und grau.
Es sitzt da vor der Tür
so lieb
und ruft:
Miau, miau!

O weh,
das schwarze Hündchen kommt
und bellt und bellt:
Wau, wau!
Da springt das Kätzchen
auf den Baum
und ruft:
Miau, miau!

Viele Tiere hat der Zoo

Wir sind alle im Zoo.   Komm und besuche uns.

Hier ist es schön.

Wir sind immer zu Hause.

Schau, Vater,
da ist ein Bild vom Zoo.
Dort sind viele, viele Tiere.
Ich kenne schon viele Tiere.
Gehen wir am Sonntag zum Zoo?
Ja, Udo, sagt der Vater.
Wir gehen am Sonntag zum Zoo.
Wir besuchen alle Tiere.

Heute ist Sonntag.
Der Vater, die Mutter,
Ina und Udo gehen zum Zoo.
Dort ist der Zoo, ruft Udo.
Der Vater kauft die Karten.
Wir zeigen die Karten am Tor.
Nun gehen wir hinein.
Wie schön ist es im Zoo!

Hier stehen große Bäume.
Wir sehen viele Zäune.
Da und dort sind kleine Häuser.
Wohnen dort die Tiere?
Viele Tiere wohnen im Käfig.
Hier ist der Tiger.
Der Tiger wohnt im Käfig.
Kann der Tiger auch nicht heraus?
Da ist der Löwe.
Der Löwe schläft.
Sein Käfig ist groß.
Dort ist der dicke Bär.
Er rennt im Käfig hin und her.
Da im Wasser ist das Krokodil.
Das Krokodil schläft viel.
Schau, dort sind die Affen.
Die Affen sind lustige Tiere.
Da ist auch der Elefant.
So große Ohren! So dicke Beine!
Komm, Elefant,
hier ist eine Rübe.

Mutter, komm.
Der Vogel dort ist schön bunt.
Das ist der Papagei.
Der Papagei schaukelt gern.
Schau, Vater, der Vogel da
hebt ein Bein und schläft.
Das ist der Marabu.
Er hebt ein Bein und schläft dazu.
Hier ist der Vogel Strauß.
Der Vogel Strauß hat lange Beine.
Mutter, dem Vogel Strauß
fallen schon die Federn aus!

Da ruft Udo:
Dort ist auch der Esel.
Ich lese: Wer will reiten?
Vater, ich möchte reiten.
Ich möchte auf dem Esel reiten.
Schon sitzt Udo auf dem Esel.
Udo kann schon reiten.
Er ruft: Auf Wiedersehen, Ina!

Ina ruft: Dort ist das Pony.
Da steht auch der Ponywagen.
Ich lese: Wer will fahren?
Ich möchte mit dem Pony fahren.
Fahren wir mit dem Ponywagen?
Da sagt die Mutter:
Ina, wir fahren mit dem Pony.
Auf Wiedersehen, Vater!

Der Elefant, der Elefant,
der ist uns allen gut bekannt.

Wi-de-ral-la-la, wi-de-ral-la-la,
wi-de-ral-la-lal-la-la.

Der Löwe da, der Löwe da,
das ist ein Tier aus Afrika.

Der dicke Bär, der dicke Bär,
der rennt im Käfig hin und her.

Der Affe hier, der Affe hier,
der Affe ist ein lustig Tier.

Der Vogel singt, der Vogel singt.
Wir hören zu, wie schön das klingt.

Das Krokodil, das Krokodil,
das ist sehr faul und tut nicht viel.

Der Papagei, der Papagei,
der schaukelt viel und schreit dabei.

Der Marabu, der Marabu,
der hebt ein Bein und schläft dazu.

Dem Vogel Strauß, dem Vogel Strauß,
dem fallen schon die Federn aus.

Wir sehen fleißige Leute

Die Schneider nähen Kleider.
Die Schuster nähen Schuh.
Die Tischler bauen Tische
und Stühle dazu.

Die Schlosser machen Schlüssel,
die Hutmacher Hüt.
Die Töpfer machen Töpfe
und Nägel der Schmied.

Die Bäcker backen Kuchen
mit Nuß und mit Mohn.
Nur Kinder, die brav sind,
bekommen davon.

Vater: Wer will fleißige Leute sehn?
Ina: Ich will fleißige Leute sehn.
Udo: Ich kenne fleißige Leute.
Vater: Wir wollen sie besuchen gehn.

Was machen die Schneider?
Sie nähen die Kleider.
Sie nähen die Röcke.
Sie nähen große Röcke.
Sie nähen kleine Röcke.
Sie nähen weite Röcke.
Sie nähen enge Röcke.

Was machen die Schuster?
Sie nähen die Schuhe.
Sie nähen große Schuhe.
Sie nähen kleine Schuhe.
Sie nähen breite Schuhe.
Sie nähen spitze Schuhe.

Was machen die Tischler?
Sie bauen die Stühle.
Sie bauen die Tische.
Sie bauen große Tische.
Sie bauen kleine Tische.
Sie bauen lange Tische.
Sie bauen runde Tische.

Was machen die Schlosser?
Sie feilen die Schlüssel.
Sie feilen große Schlüssel.
Sie feilen kleine Schlüssel.
Sie feilen dicke Schlüssel.
Sie feilen dünne Schlüssel.

Was tun die Hutmacher?
Sie nähen die Hüte.
Sie nähen große Hüte.
Sie nähen kleine Hüte.
Sie nähen runde Hüte.
Sie nähen spitze Hüte.

Was machen die Töpfer?
Sie formen die Töpfe.
Sie formen große Töpfe.
Sie formen kleine Töpfe.
Sie formen graue Töpfe.
Sie formen bunte Töpfe.

Was machen die Schmiede?
Sie schmieden die Nägel.
Sie schmieden große Nägel.
Sie schmieden kleine Nägel.
Sie schmieden dicke Nägel.
Sie schmieden dünne Nägel.

Was machen die Bäcker?
Sie backen die Brote.
Sie backen die Kuchen,
Kuchen mit Nuß,
Kuchen mit Mohn.
Ina und Udo, Dora und Emil,
Anni und Peter
bekommen davon.

Udo singt:

Ich bin der Schneider Fridolin.
Ich nähe schöne Röcke:
große Röcke, kleine Röcke,
weite Röcke, enge Röcke.
Ich bin der Schneider Fridolin.
Ich nähe schöne Röcke.

Ina singt:

Ich bin die Waschfrau Katarin.
Ich wasche schöne Wäsche:
große Wäsche, kleine Wäsche,
weiße Wäsche, bunte Wäsche.

Emil singt:

Ich bin der Schuster Valentin.
Ich nähe schöne Schuhe:
große Schuhe, kleine Schuhe,
breite Schuhe, spitze Schuhe.

Dora singt:

Ich bin die Köchin Josefin.
Ich koche gute Suppe:
dicke Suppe, dünne Suppe,
süße Suppe, saure Suppe.

Peter singt:

Ich bin der Tischler Benjamin.
Ich baue schöne Tische:
große Tische, kleine Tische,
lange Tische, runde Tische.

Wer singt?

Ich bin der Bäcker Augustin.
Ich backe gutes Brot:
weißes Brot, schwarzes Brot,
langes Brot, rundes Brot.
Ich bin der Bäcker Augustin.
Ich backe gutes Brot!

Ist der Kasper dumm?

Gute Nacht, Kinder.

Guten Morgen, Kasperle.
Die Sonne ist schon da.

Was, die Tonne ist schon da?

Kasperle, die Sonne!
Die Sonne ist am Himmel.

Was, die Tonne ist am Himmel?
Kinder, was tut denn
die Tonne am Himmel?

Kasperle, Kasperle.
Die Sonne lacht!

Ha, ha, ha, die Tonne lacht!
Lachen kann die Tonne auch.

Das ist eine lustige Tonne.

Kasperle, Kasperle.
Die Sonne scheint.

O je, die Tonne weint!
Warum weint denn die Tonne?

Kasperle, Kasperle.
Du bist dumm.

Was sagt ihr da? dumm?
Au, au, au!
Das sage ich meiner Großmutter.

Kasperle, Kasperle,
bum, bum, bum.
Kasperle, Kasperle
ist dumm, dumm, dumm!

Guten Morgen, Kinder.
Seid ihr alle da?

Guten Morgen, Kasperle.
Wir sind alle da.

Liebe Kinder, liebe Kinder,
ich rede heute Quatsch.

Ha, ha, ha, Quatsch!
Was ist das, Quatsch?

Quatsch ist Quatsch.
Fragt doch meine Großmutter.
Meine Großmutter
redet keinen Quatsch.

Großmutter, Großmutter,
komm doch mal heraus.

Guten Morgen, Kinder.

Guten Morgen, Großmutter.

Redet der Kasper Quatsch?

Ja, Großmutter,
Kasper redet heute Quatsch.

Ha, ha, ha!
Ha, ha, ha!
Die Kinder wissen,
was Quatsch ist.
Sie wissen alle:
Quatsch ist Quatsch.

Kasperle, Kasperle,
hör auf mit dem Quatsch!

Kasper, Kasper,
du bist ein Quatschkopf.

Was bin ich? Was bin ich?
O mein Kopf! O mein Kopf!
Mein Kopf ist ein Quatschkop
Ich gehe, Kinder, ich gehe.
Ich kaufe mir, ich kaufe mir
einen neuen Kopf.

Nein, Kasperle, bleib!
Dein Kopf ist so schön.
Du bist kein Quatschkopf.

Danke, liebe Kinder, danke!

Ich heiße heute Fixifax

Guten Morgen, Kasperle.

Ich heiße heute nicht Kasper.

Wie heißt du denn?

Ich heiße heute Fixifax!

Ha, ha, ha! Fixifax!

Ruft das mal alle!

**Fixifax, Fixifax!
Was heißt denn Fixifax?**

*Fixifax heißt:
Ich mache fix.
Ich mache fax.*

Das ist schon wieder Quatsch!

*Was sagt ihr da?
Achtung! Achtung!
So fix bin ich!
So fix bin ich!*

Das ist gut, Kasperle!

Das ist gut!

*Was ruft ihr da schon wieder?
Wie heiße ich heute?*

**Fixifax macht fix,
Fixifax macht fax.**

*Achtung! Achtung!
So fix bin ich.
So fix bin ich.
Seid ihr auch so fix?*

**Jaaaaaaaaaaaaaaaa,
Kasperle - Fixifax!**

*Das wollen wir sehen.
Achtung, Kinder, Achtung!
Wer ist so fix wie ich?
Wer ist schneller fort?
Ihr oder ich?*

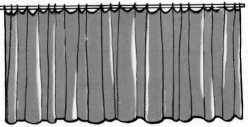

Kinder, ich bin Photomann

Rulla rullala, rulla rullala,
Kinder, seid ihr da?

Ja, wir sind schon da.
Kasperle, was ist das da?

Ha, ha, hahaha?
Kinder, schaut, was ist das da?

Was ist es denn?

Das ist ein Photokasten.

Was ist in dem Kasten drin?

Da sind Photobilder drin.
Ich bin heute Photomann.

Mach doch mal ein Photobild.
Mach ein Photobild von uns.

Schön, Kinder, schön!
Machen wir ein Photobild.
Achtung! Achtung!
Ina, wo ist deine Nase?
Dora, schau nicht zur Tür!
Anni, hör auf zu essen!

Udo, schau mal her.
Peter, mach den Mund zu.
Emil, nimm die Mütze ab!
Knips, knips, knips.
So, liebe Kinder,
nun seid ihr in dem Kasten.

Wir sind doch noch hier!

Euer Bild ist da drin.

Zeig doch mal das Bild!

Nein, Kinder, das Photobild
ist noch nicht fertig.

Wann ist das Bild denn fertig?

Nächstes Jahr um drei.
Auf Wiedersehen, Photokinder,
nächstes Jahr um drei.

Auf Wiedersehen, Photomann,
nächstes Jahr um drei.
Da sind wir wieder alle da.
Wir alle sind dabei!

Wir hören schöne Märchen

Wir kennen das kleine Mädchen.
Wir kennen das rote Käppchen.
Vater und Mutter sagen:
Das ist unser Rotkäppchen.
Rotkäppchen hat eine Großmutter.
Die Großmutter wohnt im Walde.

Rotkäppchen

Die Mutter sagt zu Rotkäppchen:
Die Großmutter ist krank.
Hier ist der kleine Korb.
Da ist Kuchen und Wein.
Bring alles zur Großmutter.
Rotkäppchen ist brav.
Rotkäppchen geht zur Großmutter.

Da kommt im Walde der böse Wolf.
Wohin, Rotkäppchen, wohin?
Ich gehe zur Großmutter.
Die Großmutter ist krank.
Ich bringe ihr Kuchen und Wein.
Wo wohnt deine Großmutter?
Sie wohnt hier im Walde.
Drei Bäume stehen vor der Tür.

Danke, Rotkäppchen, danke.
Schau, da stehen schöne Blumen.
Suche Blumen für die Großmutter.
Suche viele Blumen.
Ade, Rotkäppchen, ade.

Wer kennt die alte Ziege?
Wer kennt die alte Geiß?
Die Geiß hat sieben Kinder.
Das sind die sieben Geißlein.

Die sieben Geißlein

Die alte Geiß will Futter holen.
Sie geht auf die Wiese.
Ade, meine Geißlein, ade.
Bleibt schön im Hause.
Geht nicht an die Tür.
Ja, Mutter,
wir bleiben im Hause.

Klopf, klopf, klopf!
Wer ist da? Wer ist da?
Macht auf, Geißlein,
die Mutter ist wieder da.
Nein, nein, nein.
Du bist nicht die Mutter.
Du bist der böse Wolf.
Wir machen nicht auf.
Mutter, Mutter, komm wieder.
Der böse Wolf ist da!

Da kommt die Mutter wieder.
Fort ist der böse Wolf.
Alle Geißlein rufen:
Der böse Wolf ist fort.
Der böse Wolf ist fort.
Alle Geißlein lachen.
Alle Geißlein tanzen.

Hänsel und Gretel

Hänsel ist der Bruder.
Gretel ist die Schwester.
Hänsel und Gretel sind arm.
Vater und Mutter sind arm.

Hänsel und Gretel gehen fort.
Sie kommen in einen Wald.
Dort ist es finster.
Dort ist es kalt.
Da ist kein Weg.
Da ist kein Haus.
Hänsel und Gretel weinen.

Da ruft Hänsel: Gretel, Gretel.
Dort ist ein Haus.
O, das Haus ist schön.
Gretel, schau!
Das Dach sind bunte Kuchen.
O, der Kuchen ist gut.
O, der Kuchen ist fein.

Da geht die Tür auf.
Hänsel, wer kommt da?
Ist das nicht die Hexe?
Die böse Hexe kommt zu uns!

Knusper, knusper, knäuschen,
wer knuspert an dem Häuschen?
Kommt nur herein, ihr Kinderlein.
Hier ist es schön.
Hier ist es fein.
Hihi! Hihi! Hihi!

Dornröschen

Wir kennen die Rose.
Wir kennen das Röschen.
Wir kennen die Dornen.
Wer kennt Dornröschen?

Dornröschen ist ein schönes Kind,
schönes Kind, schönes Kind.
Dornröschen ist ein schönes Kind,
schönes Kind.

Dornröschen wohnt in einem Schloß.

Viel Dornen wachsen um das Schloß.

Dornröschen spielt in einem Turm.

Da kommt die böse Fee herein.

Dornröschen schlafe hundert Jahr.

Die Dornen wachsen riesengroß.

Nun schlafen alle hundert Jahr.

Da kommt ein junger Königssohn.

Dornröschen wache wieder auf.

Dornröschen wird nun Königin.

Da feiern sie ein großes Fest.

Und nun ist unser Märchen aus.

Komm mit in die Ferien

Heute gibt es Ferien.
Morgen bleiben wir zu Haus.
Wir fahren in die Berge.
Wir fahren an die See.

Alle Kinder rufen:
Die Ferien sind da: Juhee!
Der Kasper aber sagt:
Hier ist der große Schlüssel.
Ich schließe die Schule zu.
Ich bleibe hier und warte.
Auf Wiedersehen J-- und U--!

Auf Wiedersehen, Kasperle.
Wir sind nun alle froh.
Wir fahren in die Ferien.
Wir singen heute so:

Die Schule, die Schule ist aus.
Wir fahren, wir fahren hinaus.
Ihr Kinder, ihr Kinder, nun schnell.
Die Sonne, die Sonne scheint hell.

Die Wälder und Wiesen sind grün.
Wir sehen die Blumen nun blühn.
Die Vögel hören wir singen.
Und Hasen und Rehe springen.

Ihr Kinder, ihr Kinder, kommt schnell.
Die Sonne, die Sonne scheint hell.
In die Berge, zur See nun hinaus,
denn die Schule, die Schule ist aus.

Morgen wollen wir reisen.
Die Mutter hat viel zu tun.
Wir holen die Koffer.
Wir bringen viele Sachen.
So viele Sachen!
Bald sind die Koffer voll.
Ina und Udo helfen.
Bum, da ist der Koffer zu.
Nun sind wir fertig.
Die Mutter ist froh.

Wir fahren zum Bahnhof.
Dort sind viele Leute.
Der Vater kauft die Fahrkarten.
Knips, knips, macht der Schaffner.
Wir gehen zum Bahnsteig.
Dort steht unser Zug.
Udo rennt zur Lokomotive.
Er muß die Lokomotive sehen.
Der Schaffner fragt Udo:
Wohin geht die Reise?
Wir fahren an die See.
Udo, komm, ruft der Vater.

Da ist schon der Mann
mit der roten Mütze.
Die Türen schließen!
Achtung am Zuge!
Wir fahren, ruft Ina, wir fahren!
Viele Leute winken.
Wir winken auch.

Ina und Udo stehen am Fenster.
Sie wollen viel sehen.
Schau, Udo, schau.
Die Häuser fliegen vorbei.
Die Bäume fliegen vorbei.
Ein Bahnhof fliegt vorbei.
Ein Zug saust vorbei.
Lustig pfeift die Lokomotive.
Wir fahren so schnell:
Rattata, rattata, rattata!

Der Vater sagt:
Rattata, rattata,
und nun sind wir bald da.
Da ist schon unser Bahnhof.
Dort ist auch die See.
Der Vater holt die Koffer.
Die Mutter hat die große Tasche.
Hier, Ina, ist dein Ball.
Da, Udo, ist dein Schiff.
Haben wir auch alles?
Wir stehen auf dem Bahnsteig.
Wohin gehen wir nun?
Fahren wir noch weiter?
Wo ist die See?
Mutter, da kommt ein Hund.
Ist das nicht Bello?
Nein, Bello ist nicht hier.
Er ist bei Tante Lisa
und Onkel Paul.

Wir gehen zum Schiff.
Dort liegt das große Schiff.
Das ist groß!
Wir sind klein!
Tut! Tut! Tut!
Schnell, Kinder, schnell.

Das Schiff will schon fort.
Schnell die Treppe hinauf.
Tut! Tut! Tut!
Wir fahren schon, wir fahren.
Das Schiff schaukelt. Ina weint.
Der Ball rollt hin und her.
O, wie der Wind weht.

Da ein Hut! Ein Hut fliegt fort.
Udo lacht. Ina lacht auch wieder.
Der Hut schwimmt im Wasser.
Morgen schwimmen wir auch,
sagt der Vater.
Wir sind bald da.

Jeden Tag gehen wir an die See.
Wir suchen Muscheln.
Wir laufen im Sand.
Wir baden und schwimmen.
Wir werfen den Ball.
Wir werfen den Ring.
Viele Fahnen wehen im Winde.
Das ist unsere Fahne.
Wir schreiben mit Muscheln
in den Sand: